Sculptures en terre cuite du haut Maine

Les profondes mutations
de la sensibilité religieuse, à la fin
du XVIe siècle et au début du XVIIe,
avaient entraîné la transformation
souvent radicale de l'aménagement
intérieur des églises. Richement mis
en scène par de somptueux retables,
les sanctuaires offraient désormais aux fidèles
un reflet éclatant du catholicisme triomphant.
Dans le grand Ouest, cette période
fut l'heure de gloire des architectes
retabliers lavallois dont les monuments
de tufeau et de marbre paraient les
églises d'un lustre nouveau. Ces autels
n'étaient pas limités aux grandioses
mises en scène où le spectaculaire
le disputait au merveilleux, ils devaient également
traduire l'esprit de la Réforme catholique.
C'est pourquoi ils étaient porteurs d'images,
peintes et surtout sculptées, d'une vitalité et d'une
expressivité propres à favoriser la piété renouvelée.

Un foyer artistique régional

Double page
précédente
**Le Grand
Sépulcre,**
Gervais I
Delabarre
(et Charles
Hoyau ?),
1615.
Le Mans,
cathédrale
Saint-Julien.

Dès la seconde moitié du XVIᵉ siècle et pendant près de deux siècles, les sculpteurs manceaux sont devenus les spécialistes de ces figures en ronde-bosse ou en relief. Les plus doués ont vu leur notoriété s'étendre largement au-delà du Maine, Gervais Delabarre dans le Poitou, le Berry, en Bretagne, en Touraine, Charles Hoyau également en Touraine et en Anjou, Pierre Biardeau en Anjou, à La Rochelle, Poitiers, Bourges et Paris… Ces artistes avaient en commun une technique, la terre cuite, à laquelle les avaient peut-être initiés les sculpteurs italiens installés dans le Val de Loire depuis le début du XVIᵉ siècle. Des raisons autant pratiques qu'économiques ont pu favoriser cette mutation, la rapidité d'exécution et le moindre coût du matériau offrant de quoi répondre à une demande accrue. L'usage de la terre supposait de la part des sculpteurs, qui étaient passés de la taille au modelage, une approche sensiblement différente de leur art. Matériau souple et malléable autorisant les repentirs à volonté, l'argile favorisait la fluidité de la forme qu'ils affectionnaient. Leur manière est restée durablement marquée par les accents maniéristes hérités de la période précédente : leurs personnages adoptent des poses élégantes, parfois affectées, au mouvement souligné par des drapés compliqués où le raffinement confine à la préciosité. Un ensemble a influencé durablement cette production, les statues en marbre de la Vierge à l'Enfant et des saints Pierre et Paul exécutés en 1570 par le sculpteur parisien Germain Pilon pour l'abbaye de la Couture, au Mans, dont on retrouve, plus ou

De gauche
à droite
Vierge à l'Enfant,
fin du XVIᵉ siècle.
Torcé-en-Vallée,
église
de la Nativité.
Vierge à l'Enfant,
vers 1600.
Sainte-Sabine-
sur-Longève,
église
Sainte-Sabine.
Sainte Barbe,
fin du XVIᵉ siècle.
Ballon, église
Saint-Georges.

Vierge à l'Enfant | 5
(marbre),
Germain Pilon,
1570.
Le Mans, église
Notre-Dame
de la Couture.

De gauche
à droite
Sainte Barbe,
fin du XVIe siècle.
Tuffé,
église Saint-Pierre.
Vierge à l'Enfant,
vers 1600.
Auvers-sous-
Montfaucon,
église Saint-Pierre-
et-Saint-Paul.
Vierge à l'Enfant,
Joseph Lebrun,
1779.
Château-
l'Hermitage,
église de
l'Assomption.

moins affirmé, l'écho – celui de la *Vierge* surtout – dans de nombreuses œuvres du XVIe au XVIIIe siècle. Les sculptures de la première moitié du XVIIe siècle, l'âge d'or de la statuaire mancelle, ont constitué un relais efficace, notamment celles de Hoyau dont plusieurs *Vierge*, à Téloché, Saint-Benoît du Mans ou Fillé-sur-Sarthe, dérivent directement de la statue de la Couture. À leur tour, les œuvres de cet artiste ont été souvent imitées, la *Sainte Marguerite* et le *Saint Étienne* de la cathédrale du Mans, la *Vierge* de Foulletourte, le *Saint Sébastien* de La Flèche…

L'influence de ces modèles explique que la statuaire régionale soit moins marquée qu'ailleurs par les accents baroques qui s'imposaient alors. Un artiste fait pourtant exception, Pierre Biardeau, auteur de figures énergiques qui sont animées d'un souffle sans commune mesure avec l'œuvre des autres maîtres manceaux.

Les ateliers manceaux

Au XVIᵉ siècle, de rares noms d'artistes apparaissent au détour des documents. À Lombron, en 1563, un certain Jean Bérault reçoit paiement d'une statue de saint Sébastien, heureusement conservée. À la fin du siècle, apparaît un atelier de plus grande ampleur, celui de Matthieu Dionise : l'artiste signe et date, en 1581, une *Vierge à l'Enfant* conservée dans une église de la Dordogne ; en 1597, il exécute un *Saint Georges terrassant le dragon* pour l'église de Saint-Georges-de-la-Couée ; plus tard, la *Vierge* de Parigné-l'Évêque sera l'occasion d'une collaboration avec son neveu, Delabarre. Dispersées dans les églises sarthoises, d'autres statues lui sont attribuées à Parigné-le-Pôlin, Vaas, Torcé-en-Vallée…

Vierge à l'Enfant, détail, Charles Hoyau, Iʳᵉ moitié du XVIIᵉ siècle. Cérans-Foulletourte, église Notre-Dame de Foulletourte.

Charité de saint Martin, attribuée à Matthieu Dionise, vers 1600. Brette-les-Pins, église Saint-Martin.

La première moitié du XVIIᵉ siècle brille dans le Maine d'un éclat particulier. Elle voit émerger des artistes qui ont atténué l'influence et la réputation de leurs prédécesseurs. Longue et féconde, la carrière de Gervais I Delabarre (vers 1560-1640) a conduit ce sculpteur loin de son atelier manceau. La chapelle du château d'Angers abrite la statue de Donadieu de Puycharic, seul ouvrage en marbre connu de lui. Entre 1615 et 1619, il était à Poitiers où l'ancienne église des jésuites conserve ses sculptures. Par la suite, il était appelé à Blois, Le Puy-Notre-Dame, Saumur, Fontevraud, Saint-Anne d'Auray, La Flèche. L'église de Saint-Paterne-Racan (Indre-et-Loire) accueille un groupe de l'*Adoration des Mages* qui pourrait être celui commandé à l'artiste par l'abbé de Beaumont-lès-Tours en 1619. Delabarre fut aussi sollicité dans sa ville, notamment à Saint-Vincent et à la cathédrale où subsistent d'importants vestiges du décor de son ancien jubé.

Mentionné entre 1631 et 1644, Charles Hoyau a connu une carrière non moins fertile. Il a laissé plusieurs statues signées, parmi lesquelles la *Sainte Cécile* et une grande *Vierge de douleur assise* dans la cathédrale du Mans, une *Vierge à l'Enfant* à Cérans-Foulletourte, un *Saint Sébastien* à La Flèche. Il fut principalement

Saint Jean, détail, Gervais I Delabarre, vers 1608. Le Mans, cathédrale Saint-Julien.

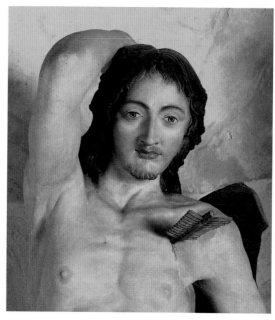

Saint Sébastien,
René II Biardeau (?),
1re moitié
du XVIIe siècle.
Sillé-le-Guillaume,
église de
l'Assomption.

sollicité en Touraine et dans le Maine, dont les églises du Mans et de Laval gardent le témoignage. En 1635, il exécutait une de ses œuvres majeures, la célèbre *Mise au tombeau* de Marolles-les-Braults.

Très tôt, Pierre Biardeau (1608-1671) quittait Le Mans, sa ville natale, pour s'établir à Angers, d'où son influence s'est exercée dans le grand Ouest et au-delà. Le succès obtenu en 1647 par le décor (détruit) de l'église des Petits Augustins de Paris lui avait ouvert les portes d'autres maisons de cet ordre à Angers, La Rochelle, Montmorillon, Poitiers.

À côté de ces artistes, ont évolué des ateliers de moindre réputation mais à la production non moins abondante. Tel fut le cas des Préhoust dont l'un, Marin dit Belinde, s'était établi à Blois, puis à Bourges dans les années 1630-1640, Noël Mérillon (1622-1691) qui fut peut-être un élève de Biardeau, René II Biardeau (1606-1651), frère du précédent, Georges Biardeau († 1686), peut-être son cousin, Étienne Doudieux (1638-1706) à qui sont attribuées de nombreuses sculptures sarthoises et mayennaises, Nicolas Bouteiller (1630-1696), actif à La Flèche, Pierre Lorcet… La seconde moitié du XVIIe siècle est également marquée par l'activité d'ateliers plus modestes, qui étaient parfois installés au Mans, tel Georges Honoré et Luc Durand, parfois à Laval, tel les Lemesle ou les Montaudin, parfois basés dans de petites localités comme de La Roze dans le nord du Maine ou les Leclerc, peut-être fixés à Écommoy. La prolifération de ces ateliers, après 1650, témoigne de l'importance accrue de la commande religieuse dans les paroisses rurales.

Vierge à l'Enfant, | 9
attribuée à
Étienne Doudieux,
2ᵉ moitié
du XVIIᵉ siècle.
La Chapelle-
Saint-Fray, église
Saint-Mamert.

Celle-ci n'est pas ralentie au XVIIIᵉ siècle, même si la
qualité tend alors à diminuer. L'extraordinaire décor
de Joseph Coeffeteau à Moncé-en-Saosnois, vers 1719,
vaut plus par son foisonnement spectaculaire que
par la valeur plastique de ses statues. Seul un Michel
Chevalier, actif dans la première moitié du siècle, produit encore des œuvres dont la valeur atteste l'héritage
des maîtres de la période précédente. Les sculptures de François Sallé, qui avait évolué dans le
sillage de Doudieux, sont très influencées par la
manière de cet artiste, mais l'essentiel de son
œuvre est encore méconnu. Les travaux de
Pierre II Lorcet – le fils du précédent ? – à Ségrie
et Rouez, ceux des Lemaire à Chahaignes et
Sainte-Sabine-sur-Longève révèlent des
artistes plus modestes encore. Remarquable,
moins par le mérite de ses sculptures que
par l'abondance de sa production, Joseph
Lebrun clôture, dans la seconde moitié du
siècle, cette longue liste des ateliers manceaux. De nombreuses églises sarthoises
conservent des témoignages de son art,
Duneau, Lucé-sous-Ballon, Lombron, Saint-
Germain-sur-Sarthe, Château-l'Hermitage…
Son rattachement à l'école mancelle ne fait
en tout cas aucun doute : conformément à
une tradition régionale bien établie, les *Vierge*
qu'il a laissées dans ces deux dernières
églises attestent, à plus de deux siècles
de distance, une fidélité jamais démentie
envers le modèle de la Couture.

Saint André,
attribué à
Nicolas Bouteiller,
2ᵉ moitié
du XVIIᵉ siècle.
Sarcé, église
Saint-Martin.

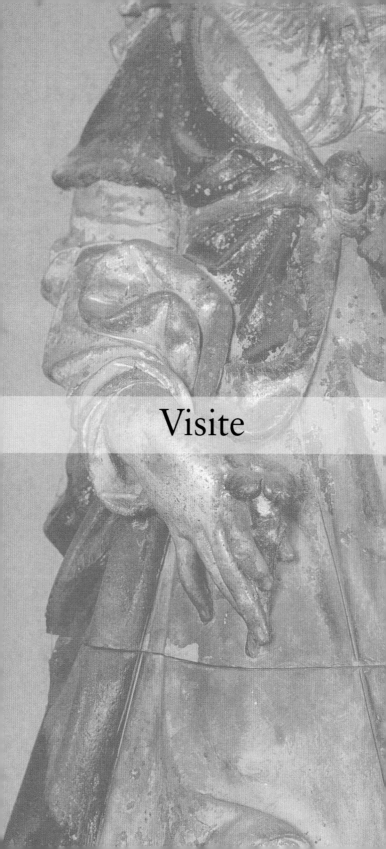

Visite

1 Le Mans
Cathédrale Saint-Julien

Le Grand Sépulcre,
1615-1621
Saint Matthieu,
vers 1609.

Provenant de l'église
des cordeliers du Mans,
le **Grand Sépulcre** de
l'ancienne chapelle Saint-Pierre
a remplacé, au XIXe siècle,
un autre *Sépulcre* exécuté par
Gervais I Delabarre vers 1610
et détruit à la Révolution.
Il aurait été commandé
au même artiste entre 1615
et 1621. D'étroites parentés
avec la *Déploration* de Hoyau,
à Marolles-les-Braults,
suggèrent une probable
collaboration entre les deux
artistes. Au-dessus de l'arcade,
le **buste du chanoine Primet,**
commanditaire du précédent
Sépulcre, serait également
l'œuvre de Delabarre.

Peu avant, l'artiste avait
reçu commande des statues
du jubé élevé en 1609,
les **Évangélistes Jean**
et **Matthieu,** deux **Prophètes**
et deux **Rois** de l'Ancien
Testament, destinées
aux frontons du monument,
puis mises au rebut après
le démontage de celui-ci
au XVIIIe siècle. Ces grandes
figures frappent par leur
expressivité. L'élégance un peu
précieuse des personnages
et leur puissance physique
laisse percevoir la sensibilité

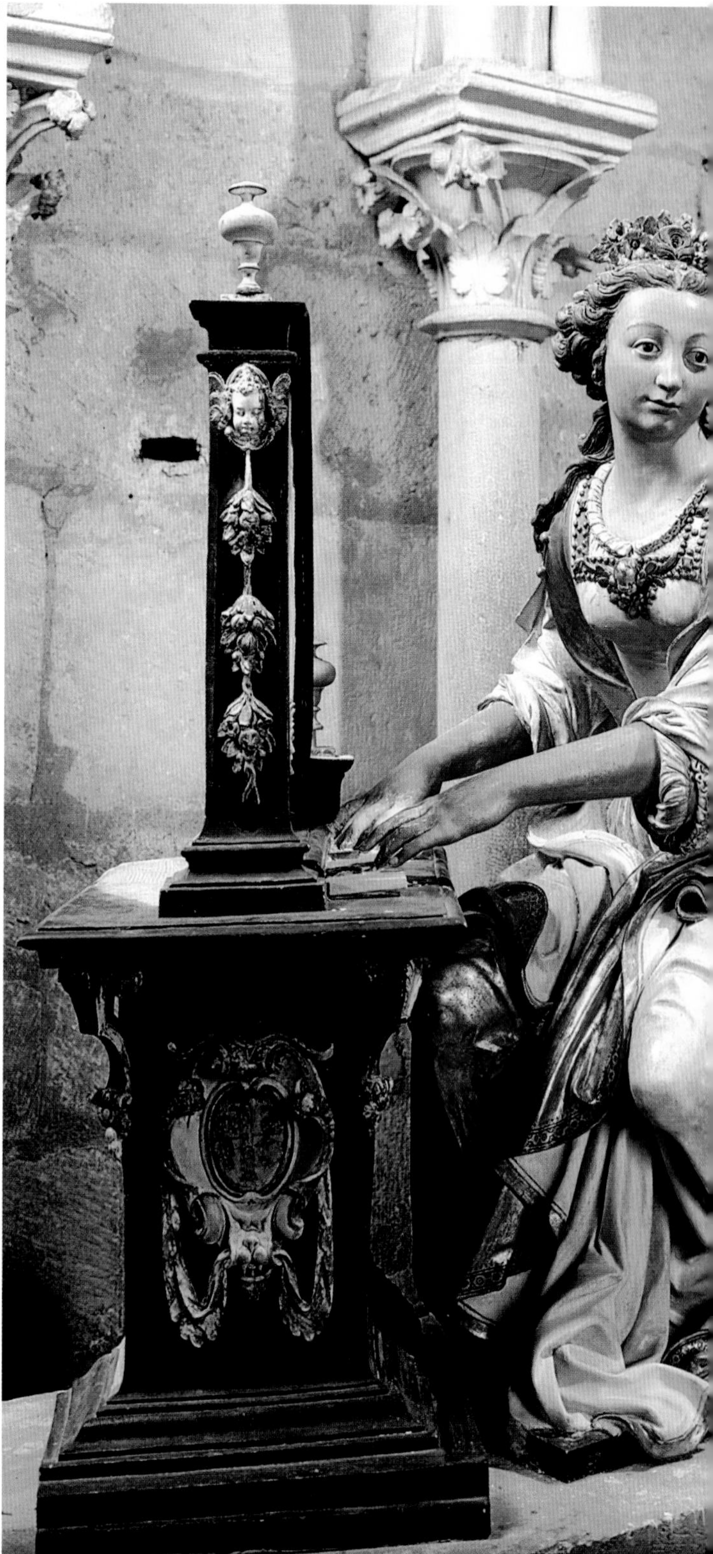

maniériste d'un artiste qui, quelques années plus tard, modèlera des *Évangélistes* dans un esprit très voisin aux Jésuites de Poitiers.

La cathédrale conserve plusieurs sculptures de Hoyau, parmi lesquelles son chef-d'œuvre signé, la célèbre **Sainte Cécile** commandée en 1633 pour la fondation d'une fête musicale en l'honneur de la sainte. Elle figurait dans un autel placé sous les orgues, entre une *Sainte Marthe* et une **Sainte Marguerite** qui seule

est conservée. La longue chevelure couronnée de roses de sainte Cécile s'harmonise avec le mouvement raffiné de son drapé tumultueux.

La grande **Vierge de douleur assise** qui tend avec ferveur ses mains jointes, également signée de Hoyau, fut commandée en 1633 pour être placée au pied du crucifix, au centre

Sainte Marguerite, Charles Hoyau, vers 1633.

Sainte Cécile, Charles Hoyau, 1633.

du jubé. Le même mouvement bouillonnant du drapé amplifie la pose expressive du personnage. Jusqu'à une date récente, elle faisait pendant à une **Vierge à l'Enfant,** également assise, dont le délicat visage, proche de celui de sainte Cécile, incite à y voir une œuvre du même artiste.

Le très beau **Saint Étienne,** dans la chapelle qui lui est dédiée, était autrefois flanqué de **Saint Gervais** et de **Saint Protais,** plus petits. Modelés dans un esprit semblable, ils sont également attribués à Hoyau : les visages animés d'une courte barbe, encadrés par des chevelures bouclées, évoquent certains personnages du *Sépulcre.*

Autrefois dans la chapelle Notre-Dame de pitié, puis au musée de la Psalette, le **Petit Sépulcre** a regagné la cathédrale vers 1975.

À droite
Le *Petit Sépulcre,*
3e tiers
du XVIe siècle.

*Page de droite,
en bas*
Saint Liboire (?),
milieu
du XVIIe siècle.
Résurrection,
fin du XVIe siècle (?).

Vierge à l'Enfant,
Charles Hoyau,
1re moitié
du XVIIe siècle.

Cette œuvre du dernier quart du XVIe siècle, dont le lieu de provenance n'est pas attesté, pourrait être de l'atelier de Germain Pilon, sinon de l'artiste.

Au centre d'un retable daté de 1564, le grand **Christ ressuscité** de l'ancienne chapelle Saint-Pierre est, quant à lui, très proche du *Christ* de Pilon conservé au musée du Louvre. Malheureusement, nous ignorons les circonstances de son installation : fut-il mis en place tardivement, au XIXe siècle, ou bien dès le XVIe siècle ?

La chapelle Saint-Liboire abrite un **Évêque** qui pourrait en être le patron. Une statue du saint aurait été commandée en 1650 à Gervais II Delabarre, mais cette sculpture n'offre guère d'éléments de comparaison avec les œuvres connues de l'artiste.

L'origine du **Saint Pierre** et du **Saint Paul,** dans le bras nord du transept, n'est pas mieux connue. Le traitement discipliné des drapés trahit, malgré certains archaïsmes, une exécution dans la seconde moitié du XVIIᵉ siècle.

2 Le Mans
Rue du Bouquet
Sainte Madeleine

Abritée sous un dais gothique et protégée par une grille, une **Sainte Madeleine** veillait depuis des décennies à un carrefour, face à l'hôtel de Vaux. Sa pose agitée et son épais drapé la rapprochent des sculptures de Noël Mérillon. Sa facture évoque d'ailleurs fortement une autre *Sainte Madeleine* attribuée à l'artiste, à Saint-Martin de Pontlieue. Récemment déposée, elle est remplacée par une réplique.

Sainte Madeleine,
Noël Mérillon (?),
2ᵉ moitié
du XVIIᵉ siècle.

Nativité,
attribuée à
Matthieu Dionise,
fin du XVIe siècle.

Sainte,
attribuée à
Matthieu Dionise,
fin du XVIe siècle.

3 Le Mans
Église Saint-Benoît

L'église a été reconstruite au XIXe siècle, mais on y a remonté un retable de la fin du XVIe siècle qui abrite une *Nativité* en relief. À l'arrière-plan, les anges, les nuées et la colombe du Saint-Esprit correspondent à un remaniement du XVIIIe siècle. Le *Père éternel,* au-dessus, est peut-être plus tardif encore. La Vierge et saint Joseph sont agenouillés de part et d'autre de la crèche dans une attitude recueillie. Derrière l'Enfant, trois anges animent la scène de façon pittoresque. Les visages au front bombé, aux lèvres minces et étroites, aux yeux mi-clos en amande sont caractéristiques des œuvres mancelles. Le style de ces figures proche des sculptures de Matthieu Dionise suggère une de ses œuvres, sinon celle d'un atelier voisin.

Les niches abritent deux statues de différentes provenances. À gauche une *Sainte* évoque les personnages de la *Nativité*. Son drapé combine harmonieusement les plis fins et serrés de la robe sur les bras et la poitrine et les lourdes retombées du manteau, dont l'épaisseur conforte la solennité du personnage. La *Sainte Catherine* couronnée de la niche droite est d'une toute autre nature. Son hanchement accentué, son attitude exaltée et son drapé bouillonnant la rapprochent de certaines sculptures de Doudieux à La Guierche, La Flèche et Brains-sur-Gée.

À l'extérieur, dans une niche à l'angle du chœur, une **Vierge à l'Enfant** au drapé énergique pourrait provenir de l'atelier de Hoyau. Sa composition dérive assez directement de celle de la *Vierge* de la Couture.

4 Le Mans
Place de la Sirène
La *Sirène*

La façade de l'hôtel Véron du Verger, bâti en 1725, arbore un grand cartouche dans lequel apparaît en relief une **Sirène émergeant des flots** sous un ciel chargé de nuées. À l'arrière-plan, un navire symbolise la prospérité commerciale du commanditaire. Ce relief en calcaire porte la signature de Michel Chevalier.

5 Le Mans
Église de la Visitation

La niche droite du retable du maître-autel abrite une **Sainte Catherine** de la fin du XVIe siècle. Dans l'autre niche, une **Sainte Barbe** du début du XVIIIe siècle s'inspire des statues antiques de Diane au pilier, sans doute par l'intermédiaire des *Sainte Barbe* de Doudieux (La Guierche, La Flèche). La position croisée des jambes de l'Enfant, que porte la *Vierge* dans la niche

supérieure, est reprise de la *Vierge* de la Couture. La sérénité des visages et le mouvement assagi du drapé révèlent une œuvre de la fin du XVIIe siècle.

Les quatre figures de la croisée sont de diverses factures et périodes. Certaines d'entre elles seraient-elles de la main du sculpteur poitevin Jean II Girouart, dont la présence est attestée au début du XVIIIe siècle ? On relèvera le beau mouvement du **Saint Michel terrassant le démon,** œuvre du milieu du XVIIe siècle, ou la rigueur ascétique du **Saint moine.** Le **Saint Jean-Baptiste** est d'une composition familière aux sculpteurs manceaux du XVIIe siècle. Le personnage imberbe au visage encadré d'une ample chevelure pourrait être un **Saint Jean,** restauré de façon maladroite.

À l'extérieur, au-dessus de la porte, des reliefs en terre cuite figurent la **Vierge couronnée par les anges,** un cœur surmonté d'une croix et d'une flamme dans une couronne d'épines et un **Père éternel** très expressif. Le *Couronnement* porte la signature de Michel Chevalier, qui a dû réaliser ce décor lors de l'achèvement de l'église en 1737. Le même artiste a modelé les **Anges** en relief, sur les parois latérales du chœur.

Couronnement de la Vierge, Michel Chevalier, 1re moitié du XVIIIe siècle.

Sainte Catherine, fin du XVIe siècle.
Sainte Barbe, début du XVIIIe siècle.

Saint Pierre et *Saint Paul* (marbre), Germain Pilon, 1570.

⑥ Le Mans
Église Notre-Dame de la Couture, ancienne abbatiale Saint-Pierre

Le *Saint Pierre*, le *Saint Paul* et la célèbre *Vierge* en marbre de la Couture ont été commandés en 1570 au sculpteur parisien Germain Pilon. Le drapé raffiné de

Saint Sébastien, Michel Chevalier, 1715.

la *Vierge* accentue l'élégance de sa pose hanchée. De cette œuvre, émane une tension née du contraste entre l'attitude joueuse de l'Enfant qui se tourne, insouciant, vers sa mère et le regard mélancolique de Marie qui annonce la douleur du sacrifice. Les corps d'athlète des saints Pierre et Paul, les deux piliers de l'Église, expriment un sentiment de puissance. Ces sculptures ont joué un rôle déterminant dans la statuaire mancelle. La *Vierge* surtout, dont on mesure l'influence jusque dans la région parisienne, a servi de source d'inspiration pour d'innombrables statues en terre de la Vierge ou de saintes dans l'ouest de la France.

L'église conserve plusieurs sculptures en terre cuite. Si nous ignorons l'auteur des quatre figures du retable de la chapelle sud, élevé vers 1640, en revanche, celles de la chapelle Saint-Léon, *Saint Jean* et *Saint Sébastien*, portent la date de 1716 et la signature de l'artiste, Michel Chevalier. Ces deux figures « grandeur nature » frappent par leurs visages aux traits fortement prononcés, qu'on retrouve sur d'autres œuvres du sculpteur, à Noyen-sur-Sarthe et Saint-Thomas de La Flèche.

7 Musée de Tessé

Les terres cuites du musée de Tessé offrent un large panorama de la créativité et de la diversité de l'école mancelle. Certaines sont signées ou simplement attribuées. D'autres, anonymes, sont représentatives de la vitalité de cette production.

Provenant d'un château de la Sarthe, le relief de la Rochère met en scène l'*Adoration des bergers* où figurent, protégés par saint Michel, les membres de la famille du donateur, Jean de Vignolles, qui fut protestant avant d'abjurer en 1572. L'œuvre, qui témoigne de ce revirement, doit être rapprochée – à défaut de lui être attribuée – de l'atelier de Matthieu Dionise, le seul qui fût organisé à cette époque. Également en relief, une superbe *Déploration* manifeste d'étroits rapports avec les *Sépulcre* de la cathédrale et de Marolles-les-Braults.

D'autres sculptures de la même époque, une *Vierge* au canon un peu court et une *Sainte Barbe* aux traits plus élégants, dérivent toutes deux du modèle de la *Vierge* de la Couture. Du dernier tiers du XVIe siècle, une *Éducation de la Vierge* annonce, par la souplesse de son drapé, la fluidité des œuvres du siècle suivant. Porté au ciel par des chérubins, un Christ de l'*Ascension* laisse percevoir, malgré son état fragmentaire, la qualité des groupes du XVIIe siècle. L'expression recueillie des personnages d'une *Nativité* dévoile l'atmosphère plus intimiste de certains autres ensembles.

Une petite *Vierge assise* porte la signature I PREHOVST, sans doute celle de Julien Préhoust, l'auteur probable du décor de Vouvray-sur-Loir vers 1660, les deux œuvres présentant beaucoup d'analogies.

D'une même main, un *Saint Pierre* et une *Sainte* affirment de telles similitudes avec le *Saint Pierre* signé de Loué et les *Sainte Barbe* de La Guierche et de La Flèche, qu'ils sont attribués avec certitude à Étienne Doudieux (1638-1706).

Récemment acquise, une élégante *Vierge à l'Enfant* signée est un témoin, d'autant plus précieux qu'il est unique, de l'art de René II Biardeau (1606-1651).

Adoration des bergers avec les membres de la famille de Vignolles, détail, entre 1572 et 1580.

Sainte Barbe fin du XVIe siècle. *Vierge à l'Enfant assise,* Julien (?) Préhoust, milieu du XVIIe siècle.

Circuit II : environs du Mans

*Page de droite,
de haut en bas*
**Éducation
de la Vierge,**
attribuée
à Gervais I
Delabarre, début
du XVIIᵉ siècle.
Vierge de pitié,
Iʳᵉ moitié
du XVIIᵉ siècle.

Vierge à l'Enfant,
Matthieu Dionise
et Gervais I
Delabarre,
1613-1619.

▪ Parigné-l'Évêque
Église de l'Assomption

En 1608, Matthieu Dionise exécutait un **Saint Pierre** et un **Saint Barthélemy** qui pourraient correspondre aux deux sculptures à gauche de l'autel méridional. Peut-être conviendrait-il de joindre à cet ensemble le **Saint Sébastien** du retable, beau nu antiquisant d'une facture maniérée.

En 1613, le sculpteur avait reçu commande de la **Vierge à l'Enfant,** dans le chœur. À la demande du curé, il fut secondé par son neveu Gervais I Delabarre, en 1619, sans que l'on puisse déterminer la part de l'un et de l'autre. La statue, dont la composition dérive très directement de la *Vierge* de la Couture, affiche une frontalité et une raideur peu coutumières dans les autres œuvres de Delabarre.

L'**Éducation de la Vierge** du retable nord rappelle fortement, par sa composition originale – sainte Anne est exceptionnellement assise – un groupe attribué à Delabarre conservé dans l'abbaye Sainte-Croix à Saint-Benoît-la-Cossonnière (Vienne).

Dans le chœur, un **Saint Jean-Baptiste** dont le hanchement est accentué par le large bourrelet du manteau, est une belle sculpture de la première moitié du XVIIᵉ siècle.

L'église conserve aussi deux **Vierge de pitié.** La première, très dégradée à la suite d'une longue exposition à l'extérieur,

Saint Barthélemy,
Matthieu Dionise,
1608.

date de la seconde moitié du XVIe siècle. La seconde, du siècle suivant, est conçue dans un esprit différent. La Vierge maintient dressé le buste du Christ qu'elle offre au regard des fidèles. Cette œuvre dérive d'une formule imaginée par Gervais I Delabarre aux Jésuites de Poitiers et par Charles Hoyau dans un groupe signé, plus petit, et conservé au prieuré Sainte-Marie de Martigné-Briand (Maine-et-Loire), dont il existe plusieurs variantes de taille différente aux Cordeliers de Laval, à Vaulandry (Maine-et-Loire) et au Royal Scottish Museum d'Édimbourg.

② Champagné
Église Saint-Désiré

Modelées par le même artiste, les statues du maître-autel pourraient dater du milieu du XVIIᵉ siècle. L'attitude rigide du **Christ Sauveur,** dans

Retable du maître-autel, 2ᵉ moitié du XVIIᵉ siècle.

la niche supérieure, trahit le manque de maîtrise de la perspective pour une sculpture haut placée. De part et d'autre, **Saint Didier** et **Saint Désiré** manifestent

plus de fantaisie grâce au mouvement harmonieux de leurs drapés. Au-dessous, **Sainte Barbe** et **Sainte Marguerite** sont remarquables par l'élégance de leurs silhouettes dont la ligne effilée est soulignée par un drapé à la fois souple et tumultueux.

Dans la chapelle sud, la **Visitation,** œuvre du même auteur, constitue un exemple rare de ce type de représentation : la Vierge et Élisabeth s'enlacent et s'inclinent l'une vers l'autre dans une composition très expressive.

Desservie par une restauration maladroite et une polychromie envahissante, l'**Éducation de la Vierge,** au sommet du retable nord, est l'œuvre plus tardive d'un artiste moins doué. Le drapé de la petite Vierge et, surtout, le voile de sainte Anne attestent l'influence, encore vive à la fin du XVIIᵉ siècle, des sculptures de Hoyau. L'archaïsme du **Saint Victeur** – également très restauré –, dans le même retable, révèle une œuvre du XVIᵉ siècle.

Page de droite, de haut en bas **Sainte Marguerite et Sainte Barbe,** 2ᵉ moitié du XVIIᵉ siècle.

Visitation, 2ᵉ moitié du XVIIᵉ siècle.

3 Savigné-l'Évêque
Église Saint-Germain

L'**Adoration des bergers**
proviendrait de l'abbaye
de la Perrigne à Saint-Corneille.
Personnages et animaux
entourent l'Enfant nouveau-né
accoudé dans la crèche garnie
d'un voile au plissé sophistiqué.
Associée à la puissante
musculature des bergers,
l'élégance des drapés relève
d'un esprit maniériste qui
rappelle l'œuvre des Delabarre.

Les statues du maître-autel,
de la seconde moitié
du XVIIe siècle, sont d'une
même main. Les gestes
en suspens des personnages
n'impliquent pas pour autant
des poses figées, comme
en témoignent les attitudes
élégamment hanchées de
Saint Louis et **Saint Germain.**
Les saints engagés dans une
action sont plus maniérés,
tels **Saint Michel combattant
le démon** ou **Saint Sébastien**
qui, dans son extase, ignore
la souffrance du supplice.
Sur l'entablement, l'archange
Gabriel et la Vierge Marie
figurent le mystère
de l'**Annonciation,** dans
une mise en scène prenant
pour cadre le retable
dans son entier.

Dans la chapelle méridionale,
un **Saint Jean-Baptiste**
évoque de nombreuses
sculptures de Doudieux.
La pose très conventionnelle
et dénuée de fantaisie
du **Saint Évêque,** dans la même
chapelle, révèle une œuvre
plus tardive du XVIIIe siècle.

◼ Sargé-lès-Le Mans
Église Saint-Aubin

Dans la chapelle sud, le beau retable en bois du XVIᵉ siècle fut remanié en 1693, puis déplacé et remonté à deux reprises depuis la reconstruction de l'église en 1878. L'auteur des travaux au XVIIᵉ siècle était Étienne Doudieux, à qui l'on attribue certaines statues de l'église, dont la *Sainte Madeleine,* dans la niche gauche, qui a retrouvé récemment sa polychromie d'origine. Le visage régulier aux formes pleines et les plis froissés du voile sur la poitrine s'observent sur d'autres œuvres du sculpteur, notamment à La Guierche et Saint-Thomas de La Flèche.

C'est aussi le cas du *Saint Pierre,* dans la nef : son expression volontaire évoque celle du *Saint Pierre* signé de Loué et l'ample plissé de son manteau présente de nombreuses similitudes avec d'autres œuvres de l'artiste.

Dans le retable, plus sobres, **Saint Aubin** et **Saint François de Sales** rappellent les statues du Breil-sur-Mérize exécutées en 1701 par François Sallé. Cette attribution conforterait l'hypothèse d'une collaboration durable entre les deux artistes, déjà attestée à Mareschê.

Saint Matthieu (?), coiffé d'un turban et portant un reliquaire, proviendrait de la chapelle de Guéraut, à Sargé, d'où il aurait été amené dans l'église en 1860. À cette occasion, il fut converti en *Saint Éloi.*

L'*Éducation de la Vierge,* dans la nef, œuvre de qualité, portait autrefois la date de 1642.

Sainte Madeleine, attribuée à Étienne Doudieux, fin du XVIIᵉ siècle. **Retable de la chapelle méridionale,** XVIᵉ siècle et 1693.

▣ Chaufour-Notre-Dame
Église de l'Assomption

La **Vierge,** les deux **Évêques** du maître-autel, et le **Saint Luc** du transept sud sont caractéristiques de l'art de Doudieux dont on reconnaît certaines habitudes d'atelier, comme la lisière des vêtements en cascade, les plis soufflés aux retombées de l'étoffe, la massivité des formes qui contraste avec la préciosité des poses. Une inscription signale des embellissements dans l'église en 1680, date qui pourrait correspondre à celle de la commande des sculptures (et non celle du retable, acheté au Mans vers 1750).

Dans le transept sud, un autre **Évêque** et une **Éducation de la Vierge,** plus sobres, datent du milieu du XVIIᵉ siècle.

6 Coulaines
Église Saint-Nicolas

Sainte Jeanne,
2e moitié
du XVIe siècle.

La nef et la chapelle nord conservent plusieurs sculptures de la seconde moitié du XVIe siècle attribuées à une même main. La souplesse des drapés aux plis fins et serrés ne parvient pas à faire oublier la lourdeur des silhouettes. Les visages des personnages féminins sont encadrés par des chevelures à l'antique, délicatement couvertes d'un léger voile. Appuyé au tronc d'arbre sur lequel est posé un agneau, *Saint Jean-Baptiste* dérive de certaines statues antiques d'Apollon.

Saint Jean-Baptiste,
2e moitié
du XVIe siècle.

Quelques sculptures ont subi des pertes, telle la tarasque au pied de *Sainte Marthe* qui brandit un goupillon. D'autres sont d'une iconographie rare, à l'image de *Sainte Jeanne,* identifiable à sa bourse fermée par un sceau orné d'une gerbe de blé. Portant ses entrailles, *Saint Mamès* est vêtu à la mode du XVIe siècle, étant ainsi plus proche des malades qui venaient l'invoquer.

Près de l'arc triomphal, *Saint Nicolas,* patron de la paroisse, est plus tardif. Sa jambe libre est animée d'un curieux mouvement qui simule la marche sans perturber la stabilité de la sculpture, particularité observée sur plusieurs statues du XVIIe siècle.

Saint Mamès,
2e moitié
du XVIe siècle.

Circuit III : Saosnois et Perche sarthois

▮ Congé-sur-Orne
Église de l'Assomption

Dans le maître-autel,
la **Vierge, Saint Joseph**
et **Saint Sébastien,** figurent
parmi les rares œuvres attestées
de Noël Mérillon. Elles furent
commandées en 1649,
ainsi que le **Christ** en noyer
de la poutre de gloire
(actuellement dans la nef)
et deux statues disparues,
Saint Charles Borromée
et *Saint François d'Assise.*
Au XIXᵉ siècle, le remontage
du retable dans un espace
plus restreint a entraîné la
transformation des sculptures
qui étaient à l'origine
impliquées chacune dans
une scène : la Vierge foulait
au pied une figuration de
la mort, saint Joseph guidait
l'Enfant Jésus par la main
et saint Sébastien était
accompagné « d'un ange
à son costé gauche, luy tirant
une flèche du corps ».
Malgré ces lacunes, ces œuvres
témoignent d'indéniables
qualités théâtrales.

Dans l'autel sud, un relief,
**Sainte Madeleine repentante
renonçant aux vanités
de la vie** dérive du tableau
de Charles Lebrun conservé
au Louvre. Plus volontiers que
les rondes-bosses, les reliefs
s'inspiraient de la peinture,
par l'intermédiaire de gravures.
Certaines similitudes entre
cette œuvre et les reliefs
de Moncé-en-Saosnois
poussent à l'attribuer à Joseph
Coffeteau, au XVIIIᵉ siècle.

Vierge à l'Enfant,
Noël Mérillon,
1649.

Les niches latérales du même
retable abritent **Sainte
Madeleine** et **Saint Pierre,**
statues du XVIIᵉ siècle en bois
polychrome, particularité rare
dans une région où domine
alors la terre cuite.

Dans la nef, un **Saint Jean-
Baptiste** date de la charnière
des XVIᵉ et XVIIᵉ siècles ;
il est vêtu à l'antique et adopte
une attitude frontale dont
la raideur trahit l'embarras
d'un artiste peu familiarisé
avec l'écriture classique.

Au-dessus de la chapelle des
fonts, un groupe du **Baptême
du Christ,** aux formes un peu
empâtées et au canon court,
est l'œuvre d'un atelier
mineur à la fin du XVIIᵉ
ou au début du XVIIIᵉ siècle.

Saint Sébastien,
Noël Mérillon,
1649.

*Sainte
Madeleine
repentante
renonçant
aux vanités
de la vie,* milieu
du XVIIᵉ siècle.

2 **Marolles-les-Braults**
Église Saint-Rémy

Dans cette église, le décor du XVIIe siècle est dû aux libéralités du curé de la paroisse, François Engoulvent qui figure en donateur dans le tableau du maître-autel. Dans la niche gauche du monument construit en 1631, *Saint François d'Assise,* patron du curé, fut commandé en 1635 à Charles Hoyau. Main ouverte, la tête légèrement inclinée, le saint esquisse un pas en direction des fidèles. La cathédrale de Laval conserve une statue du saint si proche de celle-ci que l'on peut également y voir une œuvre de l'artiste.

Saint François d'Assise, Charles Hoyau, 1631.

Ci-dessous et page de droite **Déploration du Christ,** ensemble et détails du Christ et de saint Jean, Charles Hoyau, 1635.

Dans une chapelle méridionale, le célèbre **Sépulcre** fut commandé à Hoyau en 1635. La finesse des traits, l'élégance des poses et des drapés, la science du mouvement au service de la mise en scène révèlent un ensemble d'une grande intensité dramatique, qui figure parmi les chefs-d'œuvre de la statuaire mancelle.

Un peu plus ancien,
le **Saint Jean,** à droite
du maître-autel, constitue
l'unique vestige d'une poutre
de gloire dont la Vierge
de douleur était encore
signalée dans l'église
au début du XXe siècle.

Vue d'ensemble du chœur.

Bâtons de confrérie, *Éducation de la Vierge* et *Saint Julien du Mans,* Joseph Coeffeteau (?), début du XVIIIe siècle.

3 Moncé-en-Saosnois
Église Saint-Pierre-et-Saint-Paul

Architecture et sculpture envahissent le chœur au point d'effacer le souvenir de sa construction à l'époque romane. Tout concourt à capter l'attention du fidèle, l'abondance du décor et des couleurs, le format différencié des statues et l'usage combiné du relief et de la ronde-bosse. Le goût pour le spectaculaire est à son comble au-dessus du maître-autel, où prend place une *Adoration des bergers.* Suspendu à la clef de la voûte, un angelot volette au-dessus des figures en ronde-bosse de la sainte Famille qui se détachent sur un relief peuplé de bergers et de séraphins. Un puits de lumière dans la voûte baigne la scène d'une atmosphère irréelle et en accentue le merveilleux. Sur les côtés, les reliefs, où sont figurés les martyres des saints patrons de l'église, portent la date de 1719 et la signature du sculpteur, Joseph Coeffeteau. Le caractère conventionnel,

non dénué de raideur, des grandes figures du chœur trahit un artiste plus modeste que ses aînés. Certaines statues s'inscrivent pourtant dans leur tradition, à l'image de *Sainte Marguerite* qui dérive de la *Sainte Marguerite* de Hoyau, au Mans, et de ***Sainte Barbe,*** composée à l'imitation des nombreuses *Sainte Barbe* de Doudieux (La Guierche, La Flèche, Saint-Georges-du-Plain).

Probablement de Coeffeteau, le retable de la chapelle sud et son décor participent d'un goût similaire. Dans la contretable, une ***Nativité de la Vierge*** en relief est une représentation unique de ce thème dans la région.

L'église conserve – particularité rare – deux *bâtons de confrérie* dont les figurines en terre cuite sont aussi de l'artiste. L'une représente l'Éducation de la Vierge et l'autre saint Julien du Mans, au pied duquel est agenouillée une jeune fille à la source, allusion à l'un de ses miracles.

4 Préval
Église Saint-Pierre-et-Saint-Paul

L'édifice conserve un grand nombre d'œuvres du XVIe et du début du XVIIe siècle. La **Vierge à l'Enfant assise** du collatéral nord portait autrefois la date de 1582. Malgré sa tête légèrement inclinée, elle ne se départ pas d'une certaine fixité.

Sous l'arcade entre le chœur et le collatéral, le **Saint** porteur d'un seau à eau bénite, également de la fin du XVIe siècle, est probablement issu d'un groupe de la Dormition de la Vierge qui proviendrait de l'abbaye voisine de Perseigne, et dont la Vierge, datée de 1552, se trouve à Notre-Dame de Mamers. Une inscription du XXe siècle identifie le personnage à l'apôtre Jude Thaddée, sans que cela soit certain.

Dans la chapelle nord, se trouve un **Saint Sébastien** de facture modeste, qui daterait de la fin du XVIe ou au début du XVIIe siècle : son attitude frontale et sa chevelure répandue sur les épaules sont autant d'archaïsmes.

Sur un autel latéral, un **Saint Calais**, de la seconde moitié du XVIIe siècle, s'offre à Dieu dans une attitude déclamatoire, main sur la poitrine. Fondateur d'un monastère dans la localité qui porte son nom aux confins du Maine et de la Touraine, il jouit d'une certaine notoriété dans le Maine, tout comme **Sainte Scholastique**, patronne de la ville du Mans, qui était autrefois en pendant avec un *Saint Benoît* (disparu) et proviendrait de l'église détruite de Gourdaine au Mans.

Dans le collatéral, une **Éducation de la Vierge**, du XVIIe siècle, témoigne de la vivacité de ce thème dans la région. Adossée au mur gauche, la **Sainte Barbe** est une œuvre de tout premier plan, dont l'élégance n'est pas sans évoquer la *Sainte Famille* exécutée à Vouvray-sur-Loir par Préhoust en 1662.

Dans le chœur, un **Saint Paul** était initialement le pendant, dans le retable du maître-autel, d'un *Saint Pierre* détruit accidentellement au XIXe siècle. Il manifeste certaines parentés avec les statues de Joseph Coeffeteau à Moncé-en-Saosnois, si bien qu'il pourrait être attribué à cet artiste.

Vierge à l'Enfant, 1582.

Saint Calais, 2e moitié du XVIIe siècle.
Saint Jude Thaddée (?), milieu du XVIe siècle.

Retable du maître-autel, Joseph Lebrun, 1780.

Vierge à l'Enfant, Joseph Lebrun, 1780.

◫ **Duneau**
Église Saint-Cyr-et-Sainte-Julitte

Les cinq retables unifient l'espace de l'église. Ils abritent chacun un relief en terre cuite, la **Légende de saint Cyr** dans le chœur, **Saint François d'Assise** et l'**Adoration des bergers** dans le transept, le **Baptême du Christ** dans la chapelle des fonts et la **Rencontre du Christ et de la Samaritaine** près du bénitier. De massives statues en ronde-bosse en occupent les ailes. Certaines ont été déplacées, comme le **Saint Julien,** aujourd'hui dans le retable méridional. Dans la niche droite du maître-autel, figure **Saint Claude,** patron du curé donateur de ce décor en 1780.

Les monuments et les statues ont été exécutés par le sculpteur et retablier manceau Joseph Lebrun, actif dans la seconde moitié du XVIIIe siècle. Ses sculptures se caractérisent par des silhouettes lourdes aux mouvements engoncés dans d'épaisses draperies. La **Vierge** de la chapelle nord est fidèle au modèle de la *Vierge* de la Couture.

L'église conserve d'autres sculptures en terre cuite, vestiges de décors plus anciens, **Saint Côme,** l'**Éducation de la Vierge** et **Saint Joseph et l'Enfant Jésus,** lequel a été confondu avec saint Joachim par une inscription peinte au XIXe siècle. Le **Saint Sébastien** est un moulage en plâtre d'une sculpture du XVIIe siècle.

▌ Écommoy
**Église paroissiale
Saint-Martin**

Dans la chapelle sud,
une belle *Vierge à l'Enfant
assise* peut être rapprochée
de la *Vierge assise* de Préval
qui date de 1582. Elle s'en
distingue cependant par une
sensibilité plus fine. Les pieds
ne prennent pas appui sur
un même plan, occasionnant
un mouvement de la robe
sous l'Enfant qui tempère
ainsi la sévérité de l'œuvre.

La facture assez raide
de l'*Éducation de la Vierge,*
dans la nef, trahit une œuvre
du XVIIIe siècle. Plus souple,
bien que tout aussi tardive,
la *Sainte Barbe,* à côté,
s'inspire très directement
des statues de Doudieux
à La Guierche et La Flèche,
témoignant de la longévité
remarquable des compositions
de cet artiste.

L'imposante *Charité de saint
Martin,* dans la nef, occupe
une place particulière
dans la statuaire de la région.

Vierge à l'Enfant,
4e quart
du XVIe siècle.

Ses accents classiques
sont sans rapport avec
la production des ateliers
manceaux contemporains.
Ce groupe, œuvre du sculpteur
parisien d'origine flamande
Barthélemy De Melo,
figurait autrefois au sommet
du retable du maître-autel
commandé vers 1690 par Paul
Fréart de Chantelou, seigneur
d'Écommoy, grand amateur
d'art et ami de Poussin.

*Charité
de saint Martin,*
Barthélemy
De Melo,
vers 1690.

Vierge de pitié,
Barthélemy
De Melo,
1688.

Nativité, détail,
XVIIᵉ siècle.

*Charité
de saint Martin,*
Barthélemy
De Melo,
1688.

Les *Charité
de saint Martin,*
de Château-du-
Loir, à gauche,
et d'Écommoy,
à droite.

2 Château-du-Loir
Église Saint-Guingalois

Fréart de Chantelou,
également gouverneur
de Château-du-Loir, avait
commandé à Barthélemy
De Melo, en 1688, pour l'église
Saint-Martin, une *Charité
de saint Martin* très proche
de celle d'Écommoy.
Après la destruction de
l'édifice vers 1810, le groupe
fut installé à Saint-Guingalois.
Le pauvre a été modelé
en plâtre par Jean-Baptiste
Pecquet au XIXᵉ siècle.

De Melo est sans doute aussi
l'auteur de la *Vierge de pitié*
du chœur, composée d'après
un tableau d'Annibal Carrache

(Pinacothèque nationale
de Naples), peut-être
par l'intermédiaire du tableau
exécuté par le peintre
manceau Lemaire en 1643
(église Saint-Benoît du Mans).

Dans un pilier de la nef,
un *Enfant Jésus* dans la crèche
provient d'une *Nativité*
qui devait être remarquable
à en juger par la facture
délicate de ce fragment.

Saint Guingalois,
patron de la paroisse,
figure au sommet du retable
de la chapelle sud.
La sévérité de son drapé
est compensée par son
hanchement prononcé et
le fin modelé de son visage.

▣ Vaas
**Église Notre-Dame,
ancienne abbatiale
Saint-Georges**

Dans le transept nord,
un retable du XVIIᵉ siècle
réunit quatre sculptures
de provenances et d'époques
diverses. Au sommet,
Saint Jacques le Majeur
qui présente une coquille
et tenait de l'autre main
un bourdon, est une œuvre
archaïsante du XVIIIᵉ siècle.
À droite, plus ancienne,
l'***Éducation de la Vierge***
date du siècle précédent,
tout comme la petite ***Vierge***
dont la chevelure se répand
en mèches ondoyantes
sur les épaules. À gauche,
mains jointes, une ***Sainte***
pourrait dater du tout début
du XVIIᵉ siècle. Peut-être

Dans le chœur, un ***Calvaire***
date du milieu du XVIIᵉ siècle.
Emporté par le mouvement
de son manteau, saint Jean
se précipite vers la croix.
Le corps cambré, Marie
se crispe de douleur.

Dans la nef, ***Saint Julien***,
patron du diocèse, et ***Saint
Georges,*** ancien patron
de l'édifice, datent de 1707.

Sainte,
vers 1600.

Saint Julien,
1707.

Calvaire,
la Vierge
et saint Jean,
milieu
du XVIIᵉ siècle.

provient-elle d'une *Mise au
tombeau*, mais elle pourrait aussi
figurer une *Vierge de douleur*.
Dans tous les cas, les qualités
de son exécution font regretter
la perte d'un ensemble de
qualité. Sur l'autel, une autre
Vierge dérive du modèle
de la Couture. Par son visage
au front bombé, ses yeux
en amande et un certain
tassement de la silhouette,
elle est très proche de quelques
sculptures attribuées à Dionise,
telles la *Vierge* de Torcé-
en-Vallée et les *Sainte Barbe*
de Ballon et Tuffé.

4 Vouvray-sur-Loir
Église Saint-Martin

La *Chasse de saint Hubert* et la *Sainte Famille* ont été exécutées par un certain « Préhoux », entre 1658 et 1662, peut-être le Manceau Marin Préhoust, mentionné à Blois et Bourges entre 1630 et 1643, ou plus sûrement Julien Préhoust, qui avait travaillé en 1657 pour les Jacobins du Mans. On est surpris par la qualité inégale de ces ensembles. Si les visages et les drapés de la *Sainte Famille* sont de belle facture, l'autre groupe, au contraire, frappe par sa naïveté, exception faite du visage du saint dont les traits seraient à rapprocher de ceux de saint Joseph.

Près de l'autel méridional, un *buste* en terre cuite représente peut-être le Père éternel ou bien constitue un vestige d'une statue en pied. Son traitement délicat le rapproche des personnages de la *Sainte Famille*, attestant la même main.

Chasse de saint Hubert, Julien Préhoust, 1658.
Sainte Famille, Julien Préhoust, 1558-1662.

Buste, Julien Préhoust (?), 3e quart du XVIIe siècle.

5 Chahaignes
Église Saint-Jean-Baptiste

Ravagée par un incendie
en 1705, l'église fut reconstruite
en 1733. Le retable du
chœur fut élevé en 1751.
L'année suivante, était achevé
le **Baptême du Christ**
en relief par Jean-Jacques
Lemaire. Du même artiste,
les statues de l'arc triomphal

et celles des chapelles
latérales sont de qualité
inégale. Certaines sont très
conventionnelles, comme
la **Vierge à l'Enfant** et
Saint Nicolas. Sainte Barbe
et **Sainte Madeleine** sont
plus animées et leur attitude
expressive est renforcée
par le mouvement brouillon
de leur drapé.

Dans le chœur, **Saint Pierre**
et **Saint André** font
certainement partie des
« ymages du grand autel » que
l'on avait sauvées de l'incendie.
Les visages au modelé vigoureux
et les drapés nerveux évoquent
la manière de Doudieux,
sans doute l'auteur de
ces œuvres dans la seconde
moitié du XVIIe siècle.

Dans une niche au-dessus de
la porte d'entrée, d'une autre
main, un **Christ de dérision**
provient peut-être aussi
de l'ancien décor de l'église.

Saint André,
attribué à
Étienne Doudieux,
2e moitié
du XVIIe siècle.

**Christ
de dérision,**
XVIIe siècle.

**Baptême
du Christ,**
Lemaire, 1752.

6 Saint-Georges-de-la-Couée
Église Saint-Georges

Saint Georges terrassant le dragon devant la princesse de Trébizonde occupe une place privilégiée dans l'histoire artistique du Maine. Commandé en 1597 à Matthieu Dionise, il constitue un exemple de statue équestre rare dans la production mancelle. La pose élégante de la princesse et l'agitation délicate de son drapé dérivent en droite ligne de la *Vierge* de la Couture.

Saint Georges terrassant le dragon et la princesse de Trébizonde, ensemble et détails, Matthieu Dionise, 1597.

Dans la nef, regard dirigé vers le ciel, **Sainte Marguerite** foule au pied un dragon, en un mouvement inspiré de la *Sainte Marguerite* de Hoyau à la cathédrale du Mans. Le modèle fut peut-être transmis par l'intermédiaire de certaines œuvres plus tardives de Doudieux, notamment la *Sainte Marguerite* de Mareschė. Cette sculpture est également proche d'une autre statue de la sainte par Joseph Coeffeteau à Moncé-en-Saosnois, si bien qu'elle pourrait être l'œuvre de cet artiste au début du XVIIIᵉ siècle.

Provenant d'une poutre de gloire, une **Vierge de douleur** et un **Saint Jean,** aux formes longilignes, datent également du XVIIIᵉ siècle. Les mèches épaisses de saint Jean rappellent les sculptures de Pierre II Lorcet à Rouez. Proche de celles-ci, la **Sainte Barbe** de la nef pourrait être de la même main. Adossé au mur nord de la nef, **Saint Augustin** est une œuvre plus frustre.

7 Saint-Vincent-du-Lorouër
Église Saint-Vincent

Le retable de la chapelle nord abrite une *Vierge à l'Enfant,* un *Saint Joseph* et une *Éducation de la Vierge* qui forment un ensemble homogène de la fin du XVIIe siècle ou du début du XVIIIe.

Dans la nef, **Saint Jacques le Majeur** pourrait dater du début du XVIIe siècle. Adossé à un pilier, un **Saint Évêque** est plus tardif. Peut-être de la même main, le **Christ aux liens,** contre le mur nord de la nef, pâtit d'une restauration abusive. Assis sur un rocher, attendant le supplice, le personnage semble provenir d'un groupe. Non loin, un **Saint Jean-Baptiste** longiligne évoque, par sa composition et son attitude, d'autres statues du saint à Nogent-le-Bernard, Saint-Paul-le-Gaultier et Arquenay (Mayenne), toutes dérivées du *Saint Jacques* de La Guierche, exécuté en 1676 par Doudieux, auteur probable de ces œuvres.

Le chœur abrite deux sculptures dégradées par une longue exposition à l'extérieur. L'une représente un *Diacre* – saint Vincent ? – debout, un livre à la main. Le traitement antiquisant de sa chevelure révèle une œuvre de la fin du XVIe siècle. La technique de sa mise en œuvre présente quelques parentés (contour ovale des évents) avec la *Vierge allaitant* et la *Sainte Barbe* de Doucelles, si bien que cette statue pourrait être de la même main.

La **Vierge,** ou **Sainte,** est le produit d'un curieux assemblage : on a relié un buste datant du dernier quart du XVIe siècle à la partie inférieure d'une statue du XVIIe. Jusqu'à une date récente, la sculpture était exposée à l'extérieur dans la façade de l'église, ce qui explique la disparition complète de la polychromie.

Christ aux liens, 2e moitié du XVIIe siècle.

Saint Jean-Baptiste, attribué à Étienne Doudieux, 2e moitié du XVIIe siècle.

Vierge ou Sainte, 2e moitié du XVIe siècle (élément supérieur), XVIIe siècle (élément inférieur).

Circuit V : pays fléchois

▌ La Flèche
Église Saint-Thomas

Au XIXe siècle, les paroissiens de Saint-Thomas avaient récupéré de nombreux éléments du décor des monastères et couvents de la région fermés à la Révolution, d'où la richesse du mobilier de l'église. Dans la croisée, un *Saint Sébastien,* signé de Charles Hoyau, est une variante très proche, quoique plus petite, d'une statue datée de 1634, à Évron (Mayenne). D'un mouvement convulsif, le martyr tente de se libérer de ses liens dans une composition inspirée de l'un des *Esclaves* de Michel-Ange,

que l'artiste a pu voir au château de Richelieu (Indre-et-Loire) où ces œuvres se trouvaient depuis 1632.

Le *Mariage de la Vierge* provient d'une chapelle du collège des jésuites, pour laquelle il avait été commandé à Gervais II Delabarre en 1633. Il figurait à l'origine dans l'arcade d'un retable (détruit) avec des anges en adoration, dont un est exposé dans l'église. De part et d'autre du grand prêtre, Joseph s'incline respectueusement vers la Vierge qui inscrit sa frêle silhouette dans un délicat jeu de courbe et contre-courbe.

Page de droite
Saint Sébastien,
Charles Hoyau,
Ire moitié
du XVIIe siècle.

**Mariage
de la Vierge,**
détails
et ensemble,
Gervais II
Delabarre,
1633.

Le décor de la chapelle
du Sacré-Cœur comprend des
remplois de diverses origines,
suivant un projet achevé
en 1843 par Urbain Lemoine,
architecte au Prytanée.
Sur les murs latéraux,
sont assis les **Évangélistes**
Matthieu et Jean, moulages en
plâtre de Jean-Baptiste Pecquet
à partir des originaux en terre
cuite modelés par Gervais I
Delabarre vers 1609 pour
le jubé de la cathédrale du Mans.

Saint Joseph et l'Enfant Jésus,
dans la chapelle sud, et **Sainte
Barbe,** proche de la croisée,
proviennent des Cordelières
de La Flèche et datent du
dernier quart du XVIIe siècle.

Sainte Barbe,
attribuée à
Étienne Doudieux,
dernier quart
du XVIIe siècle.

Vierge à l'Enfant
dite *Vierge
du pilier*, milieu
du XVIIe siècle.

le mouvement nerveux
du drapé et un visage aux
traits fortement prononcés
manifestent beaucoup de
parentés avec les statues
de Noyen-sur-Sarthe, parmi
lesquelles un *Saint Paul* est
signé de Michel Chevalier,
actif dans la première moitié
du XVIIIe siècle.

À l'entrée de la croisée,
la **Vierge du pilier** est une
œuvre anonyme de qualité
datant du milieu du XVIIe siècle.

Le grand **Christ en croix**
du bas-côté sud provient
d'une ancienne poutre de
gloire. Exceptionnellement,
comme à Verniette,
il est en terre cuite.

Ils sont attribués à Étienne
Doudieux, comme l'attestent
le drapé du *Saint Joseph*
proche de nombreuses statues
de cet artiste et, plus encore,
la composition de la *Sainte*,
très comparable à la *Sainte Barbe*
de La Guierche.

Dans le bas-côté sud,
Saint Thomas, patron
de la paroisse, figure dans
un retable en bois provenant
de l'abbaye de la Boissière,
à Dénezé-sus-Le Lude (Maine-
et-Loire). Un modelé vigoureux,

Saint Thomas,
attribué à
Michel Chevalier,
Ire moitié
du XVIIIe siècle.

2 La Flèche
**Église Saint-Louis
du Prytanée national
militaire, ancien collège
des jésuites**

Les destructions révolutionnaires
ne permettent que d'évoquer
les nombreux éléments
disparus du mobilier de l'église,
qui était d'une richesse
exceptionnelle. Le retable
du maître-autel abritait des
statues commandées en 1633
à Gervais I Delabarre et à
son fils Gervais II, une *Vierge
de pitié* environnée d'anges
porteurs des instruments
de la Passion, *Saint Pierre*
et *Saint Paul,* symboles de
l'Église catholique et romaine
triomphante, *Saint Ignace*
de Loyola et *Saint François Xavier,*
jésuites canonisés de fraîche
date, *Saint Charlemagne*
et *Saint Louis* qui affirmaient
la fidélité des pères envers
le roi de France. Œuvre
du sculpteur fléchois Callixte
Coudret, une *Vierge de pitié*
en plâtre a remplacé, en 1826,
le groupe de Delabarre
au sommet du monument.

Les chapelles latérales étaient
aussi dotées d'un abondant
décor dont il ne subsiste
que les clôtures et quelques
retables. En 1680, Nicolas
Bouteiller avait placé un groupe
de la Mise au tombeau
et un relief de la Descente
de croix dans la chapelle
de la Passion.

*De haut en bas
et de gauche
à droite
Vertus
(la Force,
la Justice,
la Prudence,
la Tempérance),
attribuées à
Noël Mérillon,
vers 1650.*

En 1650, les jésuites avaient commandé à Noël Mérillon quatre *Évangélistes* et quatre *Pères de l'Église* destinés aux piliers de la croisée. Ils avaient également élevé un monument pour abriter les cœurs de Henri IV, fondateur du collège, et de Marie de Médicis, dont les bustes en terre cuite avaient été exécutés par l'artiste. Ces sculptures ont été détruites à la Révolution, à l'exception des *Vertus* qui encadrent les monuments, la **Force,** la **Justice,** la **Prudence** et la **Tempérance.** Elles ont été sauvées grâce à leur thématique facilement adaptable à l'idéologie révolutionnaire, l'édifice ayant accueilli les réunions d'un club en 1793.

3 La Flèche
Église Sainte-Colombe

Reconstruite en 1864, l'église n'a conservé que des éléments épars de son ancien mobilier, parmi lequel une **Sainte Colombe** et une **Éducation de la Vierge** dont une longue exposition à l'extérieur a fait disparaître la polychromie. Ces altérations présentent l'avantage de mettre à nu la matière, une terre rouge et peu homogène, caractéristique de la technique de Nicolas Bouteiller, sculpteur local, qui a laissé la majorité de son œuvre dans sa région d'origine. Ces deux statues sont à rapprocher d'une **Vierge** mutilée – au rebut dans la tribune – qui fut commandée à l'artiste en 1666.

Sainte Colombe, attribuée à Nicolas Bouteiller, 2ᵉ moitié du XVIIᵉ siècle.

4 La Flèche
Chapelle de l'hôpital, ancien couvent de la Visitation

Après la Révolution, l'hôpital fut transféré dans le couvent de la Visitation, bâti dans la seconde moitié du XVIIe siècle. Élevée vers 1837, la chapelle actuelle abrite un mobilier provenant des couvents des visitandines et des hospitalières qui ont dirigé l'établissement jusqu'à une période récente. De la même époque, une **Sainte Marguerite** évoque le souvenir de l'ancienne aumônerie dédiée à la sainte, où s'étaient d'abord installées les religieuses à leur fondation en 1636. Son visage joufflu est très proche de celui

de la *Vierge* du chœur des religieuses, de la même main.

Dans la nef, une autre **Vierge,** plus tardive, est moins fluide. Son expression est plus conventionnelle, même si l'artiste a emprunté certains détails, tel le mouvement gracieux de sa main droite, aux chefs-d'œuvre manceaux de la première moitié du XVIIe siècle.

Le **Saint Joseph** de la nef est un moulage en plâtre d'une œuvre originale en terre de la seconde moitié du XVIIe siècle. Son mouvement, l'expression de son visage, le geste de sa main droite sont caractéristiques de cette période.

Sainte Marguerite et Vierge à l'Enfant, 2e moitié du XVIIe siècle.

5 La Flèche
Chapelle Notre-Dame des Vertus

La **Vierge à l'Enfant** du maître-autel proviendrait du collège des jésuites qui avaient transféré dans la chapelle une partie de leur mobilier lors de leur expulsion du royaume en 1762. L'attitude délicate de Marie évoque la préciosité des personnages du *Mariage de la Vierge* de l'église Saint-Thomas, au point de suggérer une œuvre de Gervais II Delabarre. S'agit-il de la *Vierge* commandée en 1634 à l'artiste par les jésuites pour la chapelle Notre-Dame de leur église ?

Le drapé nerveux de l'**Éducation de la Vierge** répond comme un lointain écho à celui de la *Vierge* de la Couture dont le sculpteur a entrepris, de manière un peu laborieuse, de restituer le mouvement.

Datant de la seconde moitié du XVIIe siècle, le groupe de **Saint Joseph et l'Enfant Jésus** est une œuvre robuste, d'où se dégage un sentiment de puissance rarement rencontré dans la sculpture mancelle. L'attitude outrancière de l'Enfant qui gonfle la poitrine

d'une manière peu élégante, a de quoi surprendre et mène à douter de la provenance régionale de cette sculpture.

Le doute n'est pas permis pour la **Vierge Immaculée** dont le drapé bouillonnant atteste une facture méridionale.

Les bas-côtés abritent deux groupes en plâtre. Au sud, la **Mise au tombeau** est une réplique du *Petit Sépulcre* de la cathédrale du Mans, probablement par Pecquet vers 1840. Dans le bas-côté nord, une **Adoration des bergers** constitue un témoignage d'autant plus précieux que nous ignorons tout de l'œuvre originale.

Vierge à l'Enfant, Gervais II Delabarre (?), 1634 (?).

Éducation de la Vierge, vers 1600. **Saint Joseph et l'Enfant Jésus,** 2e moitié du XVIIe siècle.

Saint Jean,
attribué à
Nicolas Bouteiller,
2e moitié
du XVIIe siècle.

6 Saint-Jean-de-la-Motte
Église Saint-Jean-Baptiste

Le retable du maître-autel
date de la première moitié
du XVIIe siècle et ses statues,
Saint Jean-Baptiste,
Saint Pierre et *Saint Paul,*
de la seconde moitié.
Les retombées en queue
d'aronde de certains plis sont
caractéristiques de la manière
de Nicolas Bouteiller.

L'église conserve une autre
œuvre de l'artiste, un *Saint*
Jean récemment retrouvé
à la suite de travaux sur la place
de l'Église où était autrefois
situé le cimetière. Mutilée après
quelque accident, la statue
avait été enterrée dans
le cimetière. Le visage délicat,
aux traits juvéniles encadrés
par une chevelure ondulante
et le drapé désordonné
attestent une grande maîtrise.

7 Luché-Pringé
Luché,
Église Saint-Martin

Sur l'autel sud, la *Vierge*
à l'Enfant affiche une sérénité
qui n'est pas sans évoquer
l'art de la « détente » de la
seconde moitié du XVe siècle.
Est-ce pure coïncidence

si cette œuvre se trouve
dans une église qui conserve
plusieurs statues en calcaire
de grande qualité (un *Saint*
Michel, les vestiges d'une
Sainte Anne et d'une *Charité*
de saint Martin), que
Norbert Dufourcq n'hésite
pas à attribuer à l'atelier
de Michel Colombe ?

Dans le mur oriental, le **Saint Martin** avait été commandé en 1668 à Nicolas Bouteiller. Les ondulations de la soutane et du rochet pondèrent l'expression sévère du prélat, recouvert par les pans rigides de sa chape.

Répartis dans le chœur, cinq petits personnages assis représentent le Christ et des apôtres datent des premières années du XVIIe siècle et constituent les éléments démembrés d'une **Cène,** thème rarement évoqué dans la statuaire mancelle.

Datant du XVIIe siècle, deux autres sculptures proviennent de deux groupes distincts. Près de l'autel sud, un **Saint François** agenouillé figure peut-être le saint patron d'un donateur. Dans la nef, coiffé d'un chapeau aux larges bords et portant un sac sur son dos, un homme s'avance en regardant par-dessus son épaule. Il pourrait s'agir du fragment d'une **Fuite en Égypte,** saint Joseph conduisant l'âne sur lequel étaient assis la Vierge et l'Enfant. Le canon court

et le traitement sommaire de la sculpture révèlent l'œuvre d'un atelier local.

C'est également un artiste local qui a modelé l'**Éducation de la Vierge,** dans la chapelle nord. S'il n'a signé l'œuvre, du moins en a-t-il inscrit la date de l'exécution gravée au revers de sainte Anne, « le 30 avril 1659 ».

Fuite en Égypte (?), fragment, XVIIe siècle.

Éducation de la Vierge, détail du revers, 1659.

Vierge à l'Enfant, début du XVIe siècle.

Circuit VI : Champagne mancelle

■ Loué
Église Saint-Symphorien

À la base du *Saint Pierre,* dans la nef, est gravée l'inscription « E. DOUDIEUX FECIT 1666 », seule signature connue de cet artiste. Celle-ci souligne-t-elle une commande à caractère exceptionnel ou bien une donation ? La statue proviendrait de l'abbaye voisine d'Étival à Chemiré-en-Charnie. Par son traitement naturaliste et le soin apporté aux détails, elle tranche sur les autres œuvres de l'artiste, d'ordinaire plus conventionnelles.

Dans la chapelle nord, *Saint Benoît* et *Sainte Scholastique,* patronne de la ville du Mans, de la même époque, proviennent probablement d'Étival. La sévérité de la coule dont les pans retombent lourdement, engoncent les personnages dans une raideur à peine rompue par un léger hanchement.

Saint Pierre, inscription et ensemble, Étienne Doudieux, 1666.

2 Tassillé
Église Saint-Martin

Inséré dans un retable néogothique (1867), l'*Adoration des bergers* est une œuvre remarquable de la seconde moitié du XVIe siècle. La scène est empreinte d'un profond recueillement, sensible à l'expression grave de Marie et de Joseph penchés sur la crèche. Elle n'est pas pour autant dénuée d'animation, à l'image des bergers du plan intermédiaire, dont l'un enjoint de la main à son compagnon de cesser sa musique.

Saint Joseph et l'Enfant Jésus et un *Saint Diacre* sont les seules rondes-bosses en terre cuite conservées dans l'église. Le canon court et les traits sommaires des visages, desservis par une polychromie postérieure, trahissent un atelier modeste, actif dans le milieu du XVIIe siècle.

Adoration des bergers, 2e moitié du XVIe siècle.

3 Amné
Église Saint-Martin

Dans le transept nord, l'*Éducation de la Vierge* date du XVIIe siècle. Sainte Anne pose une main protectrice sur l'épaule de Marie et désigne de l'autre main le livre – aujourd'hui brisé – que tenait la jeune fille.

L'étirement de la silhouette et les proportions du *Saint Jean-Baptiste*, dans le bras opposé, rappellent certaines sculptures de Doudieux, bien qu'il s'agisse ici sans doute de l'œuvre d'un autre artiste.

Dans la nef, le *Saint Martin*, patron de la paroisse, prend une pose emphatique, buste cambré et main posée sur la poitrine. Son attitude conventionnelle atteste une sculpture de la fin du XVIIe siècle ou du début du XVIIIe.

Le *Saint Avertin* est une œuvre plus singulière. Le diacre se tient la tête dans un geste de souffrance, allusion à son martyre, mais aussi à ses facultés de guérisseur. Cette statue, qui date du XVIe siècle et figure parmi les plus anciennes sculptures mancelles, provient du prieuré voisin de Cornillon, d'où elle fut transférée après la destruction de l'édifice en 1977.

La *Vierge à l'Enfant,* dans le mur opposé de la nef, constitue l'œuvre la plus remarquable de cette église. Le fin modelé des visages

Saint Avertin, 2e moitié du XVIe siècle.

Saint Jean-Baptiste, 2e moitié du XVIIe siècle.

et des silhouettes, la souplesse du drapé et l'élégance de l'attitude sont la marque d'un artiste confirmé, actif autour de 1650. Une statue lui a partiellement servi de modèle, la *Vierge* de Foulletourte signée de Hoyau, dont il a retenu le geste de Marie qui tend l'Enfant vers l'assistance.

À Foulletourte, la Vierge détourne le visage de la scène, en un geste d'impuissance face au sacrifice qui s'annonce. À Amné, au contraire, elle fait face aux fidèles, ce qui atténue la tension dramatique de l'œuvre.

Vierge à l'Enfant, milieu du XVIIe siècle.

4 Neuvy-en-Champagne
Saint-Julien-le-Pauvre, église Saint-Julien

Le chœur et le transept sont garnis de retables de la seconde moitié du XVIe siècle, où figurent, en relief ou en ronde-bosse, l'***Adoration des bergers***, la ***Cène*** et la ***Mise au tombeau***. Répartis de part et d'autre du Christ, les apôtres de la *Cène* tentent, par quelques apartés, de rompre la monotonie qu'engendre l'étalement horizontal de la table. L'*Adoration des bergers* est plus animée, à l'image d'un personnage de l'arrière-plan qui, caché derrière un pilier, contemple l'Enfant nouveau-né. La *Mise au tombeau* en ronde-bosse rappelle, par sa gravité, l'atmosphère des groupes du siècle précédent.

Mise au tombeau, détail, 2e moitié du XVIe siècle.

Parmi les sculptures isolées qui complètent ce décor, certaines sont de la même main, telles les statues de l'autel méridional, *Saint Louis* et un *Évêque,* probablement saint Julien patron de la paroisse, qui surprennent par leur raideur. *Saint Sébastien,* à la pose un peu maniérée, est d'une expression mieux maîtrisée. Du même auteur également, la *Vierge à l'Enfant* de la chapelle opposée est encore empreinte d'un esprit médiéval. Elle rappelle la *Vierge* du maître-autel de Torcé-en-Vallée qui pourrait être de la même main.

Adoration des bergers, détail, 2e moitié du XVIe siècle.

L'*Éducation de la Vierge* et *Saint Joseph et l'Enfant Jésus,* qui encadrent la Vierge datent du XVIIe siècle.

Cène, ensemble et détail, 2e moitié du XVIe siècle.

5 Conlie
Église Saint-Vigor

Les statues des retables latéraux ne sont pas à leur emplacement d'origine. Ces aménagements du XIXe siècle ont été l'occasion de quelques changements. L'ajout d'une tour en plâtre a permis de transformer en *Sainte Barbe* une *Sainte martyre* dont nous ignorons l'identité primitive. L'inscription qui désigne *Saint Éloi* n'est pas non plus authentique. D'une facture soignée, ces sculptures peuvent avoir été exécutées dans la seconde moitié du XVIIe siècle ou au début du XVIIIe. La composition de *Sainte Barbe* doit beaucoup aux œuvres de Doudieux, mais les traits indécis de son visage trahissent une œuvre plus tardive. *Sainte Marthe* est sans doute du même auteur.

La gestuelle complexe du beau *Saint Évêque* du XVIIe siècle, dans la chapelle sud, cherche à libérer la sculpture du cadre trop contraignant de la niche d'un retable.

Dans l'autel nord, *Saint Joseph et l'Enfant Jésus* forment un groupe d'une facture plus maladroite. Le saint guide les pas du jeune Enfant, dont l'étonnant mouvement des pieds s'observe sur de nombreuses sculptures mancelles.

Sainte Marthe, début du XVIIIe siècle.
Saint Éloi, 2e moitié du XVIIe siècle.

6 Conlie
Verniette, ancienne église Saint-Eutrope-et-Saint-Hilaire

Page de droite
Retable du maître-autel et *Baptême du Christ,* Pierre Lorcet, 1688.

Christ en croix (avant restauration), Pierre Lorcet, vers 1688.

En 1688, Pierre Lorcet recevait commande du retable du maître-autel dans lequel il devait placer un *Baptême du Christ* en relief. Ce retable nous est parvenu tel qu'il est décrit par le document, à la différence des statues des niches, actuellement occupées par des sculptures en plâtre du XIXe siècle. Elles ont remplacé des statues de saint Sébastien et saint Hilaire que Lorcet était tenu de remployer parmi l'ancien

décor de l'église. Le *Baptême du Christ* est inspiré d'une gravure d'après un tableau de l'Albane.

En médaillon dans la niche supérieure, apparaît un **Père éternel** bénissant que flanquent deux anges en adoration.

Unique dans le Maine, ce retable est entièrement revêtu d'éléments en terre cuite, au lieu du calcaire ou du bois utilisés d'ordinaire.

De la même main, le grand **Christ en croix** du mur ouest est une sculpture en terre et non en bois, fréquent dans ce type de représentation, parce que plus léger et moins fragile.

*Vierge
de douleur,*
détail et ensemble,
fin du XVIe siècle.

Saint Jean,
fin du XVIe siècle.

7 Rouez
Église Saint-Martin

Le groupe du Calvaire, dans le bas-côté nord, comprend un **Christ** en bois du XVIIe siècle, une **Vierge** et un **Saint Jean** en terre qui datent de la fin du siècle précédent. L'expression recueillie de ces personnages « grandeur nature » n'est démentie ni par l'élégance de leur pose, ni par le mouvement ample et sobre des drapés.

Vers 1642, deux retables furent élevés dans le chœur et la chapelle sud. Leurs statues sont toutes issues du même atelier. Dans la nef, une **Sainte Pétronille** est de la même main et provient peut-être d'un troisième retable détruit. Le drapé ample et empesé des **Évêques** et l'attitude des **Anges** sur les frontons évoquent fortement les statues des Ursulines d'Angers qui pourraient être l'œuvre, dans les années 1640, de l'un des fils de Gervais I Delabarre. La **Vierge à l'Enfant** rappelle deux autres **Vierge**, l'une dans le maître-autel de la chapelle des Vertus à La Flèche, attribuée à Gervais II Delabarre, l'autre dans le chœur des religieuses de l'église du Val-de-Grâce, qui pourrait provenir du même atelier. Les statues de Rouez seraient-elles dues à Gervais II Delabarre, ou bien à Louis, son frère cadet, dont aucune œuvre n'est attestée à ce jour ?

Haut placés contre le mur ouest de la nef, un **Saint Jean-Baptiste** et un **Saint Sébastien,** au corps athlétique et à l'expression pathétique, sont proches des statues de Noël Mérillon à Congé-sur-Orne.

Dans la chapelle nord, le retable et son **Saint Jacques le Mineur** sont l'œuvre, en 1727, de Pierre II Lorcet. Le saint se campe dans une raideur toute frontale.

L'artiste a également remplacé la **Vierge** du groupe plus ancien de l'Éducation, dans la chapelle méridionale, dont la **Sainte Anne** est de la même main que les autres statues de ce retable.

Saint Sébastien, attribué à Noël Mérillon, milieu du XVIIe siècle. *Saint Urbain et Saint Martin,* vers 1642.

Circuit VII :
vallée de la Sarthe

▮ La Guierche
Église Notre-Dame du Rosaire

À droite
Sainte Barbe,
Étienne Doudieux,
1672.

Entre 1672 et 1676, Étienne Doudieux fournissait plusieurs statues à l'église. *Saint Louis* et *Saint Joseph* ont disparu mais **Sainte Barbe,** la **Vierge à l'Enfant** et **Saint Jacques** figurent toujours dans le retable du maître-autel. Ces sculptures, qui datent des débuts de la carrière de l'artiste, sont encore empreintes de maniérisme, perceptible dans l'étirement des silhouettes – qui n'est pas sans exagération dans le *Saint Jacques*.
Le sculpteur n'est pas resté insensible aux accents classiques de son époque, en s'inspirant des modèles antiques. Négligemment appuyée sur sa tour, la *Sainte Barbe* dérive de certaines *Aphrodite au pilier* dont les gravures circulaient alors.

La Sarthe conserve de nombreuses œuvres de Doudieux, attribuées par comparaison avec les statues

Vierge à l'Enfant,
Étienne Doudieux,
1673.

Saint Jacques,
Étienne Doudieux,
1676.

de La Guierche. L'attitude dégingandée de *Saint Jacques* est ainsi très proche de celle de deux *Saint Jean-Baptiste* à Saint-Vincent-du-Lorouër et à Arquenay (Mayenne) et d'un *Saint Roch* à Saint-Paul-le-Gaultier. La *Vierge* manifeste certains traits communs avec les *Vierge* de Chaufour-Notre-Dame, La Ferté-Bernard, Vallon-sur-Gée, Ballon…

La *Sainte Barbe* évoque d'autres statues de la sainte à La Flèche et à Saint-Georges-du-Plain, aux portes du Mans. À Maresché, où Doudieux et François Sallé ont collaboré en 1696, le traitement d'une autre *Sainte Barbe* révèle plutôt la main de ce dernier, mais sa composition reste fidèle aux précédentes.
Le succès de la formule ne s'est pas démenti après la mort de l'artiste, sur des œuvres de moindre qualité : à Saint-Georges-du-Bois, Roézé, à la Visitation du Mans ou à Saint-Martin-de-Connée (Mayenne). Au XIXe siècle, on en retrouve des moulages en plâtre à Bouloire, Sablé-sur-Sarthe et Candé.

L'église conserve également un **Moine,** œuvre anonyme du XVIIe siècle dont le traitement réaliste du visage suggère un portrait, peut-être celui du saint patron d'un curé de la paroisse.

2 Meurcé
Église de l'Assomption

Le retable du maître-autel
fut commandé en 1676
à l'architecte et sculpteur
manceau Nicolas Mongendre,
qui a également exécuté
la *Vierge* de la niche supérieure
et une ***Assomption*** en relief.
Les silhouettes tassées des
personnages aux traits empâtés
révèlent un artiste moins bon
sculpteur qu'architecte.
L'artiste s'était engagé
à conserver les « anciennes
figures » qui pourraient
correspondre aux ***Saint Julien***
et ***Saint Eutrope*** des niches
latérales, œuvres du milieu
du XVIIe siècle. Leur attitude
élégamment hanchée accentue
le plissé vigoureux de leurs
chapes, dont l'étoffe épaisse
n'est pas sans rappeler
la manière d'un Mérillon.

Les retables en bois des
chapelles latérales ont été
commandés à Mongendre
en 1681. L'autel nord abrite
un ***Saint Pierre*** et un ***Saint
André,*** œuvres d'un artiste
inconnu, à la même époque.
Au sommet du monument
opposé, l'***Éducation de la
Vierge*** semble de la même
main. Les niches latérales
de cet autel abritent deux
statues plus anciennes.
À gauche, seau à eau bénite
dans une main, ***Sainte Marthe***
brandit un goupillon en
direction d'une tarasque

disparue. Les accents
maniéristes de sa silhouette
effilée et le mouvement
complexe de son plissé
permettent de la dater
de la fin du XVIe siècle
ou du début du XVIIe.
D'une main différente,
la ***Sainte*** de la niche opposée
lui est contemporaine.

Le soffite du couvrement de
la chapelle des fonts est orné
d'un ***Père éternel*** en relief
qui, proche des personnages
de l'*Assomption,* est sans doute
aussi l'œuvre de Mongendre.

***Saint Julien
et Saint Eutrope,***
milieu
du XVIIe siècle.

En haut
Assomption,
Nicolas
Mongendre,
1676.

3 Doucelles
Église Saint-Martin

Vierge à l'Enfant, détail, 4e quart du xvie siècle.

Dans la chapelle nord, une **Vierge allaitant** de la fin du xvie siècle témoigne, par son léger hanchement et les larges plis en U de son manteau, du poids de la tradition médiévale. Seule l'ondulation de la chevelure trahit chez l'auteur la tentation des modèles antiques. La **Sainte Barbe** qui lui fait pendant est de la même main.

Au sommet du retable nord, une autre **Vierge** manifeste de telles parentés stylistiques avec les statues de Moncé-en-Saosnois qu'elle pourrait être l'œuvre de Joseph Coeffeteau et dater du premier tiers du xviiie siècle.

Dans le chœur, un très beau **Saint Pierre** du xviie siècle est du même auteur – inconnu –

Saint Pierre, xviie siècle.

qu'un autre *Saint Pierre* conservé à Vallon-sur-Gée. Dans les deux œuvres, un modelé vigoureux sert remarquablement l'expression déterminée et mélancolique de l'apôtre. De la même époque, un **Saint Martin** lui fait face dans une niche opposée : œuvre de qualité moindre, elle frappe par le réalisme de son visage.

4 Saint-Germain-sur-Sarthe
Église Saint-Germain

Joseph Lebrun a élevé les trois retables de bois. Dans le chœur, figurent **Saint Pierre** et **Saint Germain,** patron de la paroisse, dans le retable nord, la **Vierge à l'Enfant** et **Saint Jean** et, dans le retable opposé, **Saint Sébastien** et **Saint Louis.** Les trois premiers chiffres de la date 176? sont encore lisibles sur la terrasse du *Saint Germain.* La date 1771 est inscrite sur le retable nord, ainsi que sur le *Saint Louis* et le *Saint Sébastien.* Plusieurs

De gauche à droite **Saint Pierre, Saint Germain, Vierge à l'Enfant,** et **Saint Jean,** Joseph Lebrun, vers 1760.

de ces statues et le retable nord sont également signés.

Le mouvement imprimé aux épaisses draperies compense en partie l'attitude statique des personnages qui, tels saint Jean, saint Germain ou Saint Louis, esquissent mollement un geste de bénédiction. Comme à Duneau, la composition de la *Vierge* doit beaucoup à la *Vierge* de la Couture. Celle du *Saint Sébastien* est également inspirée par un modèle illustre, le *Saint Sébastien* de Hoyau à La Flèche dont on perçoit ici un écho – certes affadi – de l'attitude tourmentée.

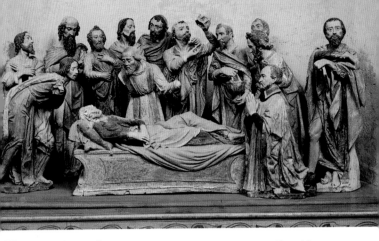

5 Saint-Léonard-des-Bois
Église Saint-Léonard

Dormition de la Vierge, vers 1627.

Les apôtres de la **Dormition** évoluent autour du lit de la Vierge dans une mise en scène mouvementée. Au centre, revêtu d'une étole, saint Pierre se penche vers Marie, tout comme saint Jean, très expressif, qui s'incline à son chevet. Tout autour, s'activent les autres apôtres : l'un tient un seau à eau bénite, un autre souffle sur les braises d'un encensoir. Le groupe aurait été offert à l'église en 1627 par un curé de la paroisse, Brandelys Laigneau qui figure en donateur agenouillé au pied du lit.

Le groupe aurait été placé, avant la Révolution, dans un enfeu sommé par une **Assomption** en relief conservée dans la nef. Si les deux œuvres furent un temps associées, elles ne sont pas contemporaines. Ce relief est l'œuvre de Pierre Lorcet, d'après Rubens, et provient d'un retable (détruit) élevé par celui-ci en 1684. Dans la nef au-dessus de la porte ouest, une **Trinité** en relief est également attribuée à cet artiste.

Assomption et Trinité, attribuées à Pierre Lorcet, vers 1684.

Saint Joseph (?),
attribué à Julien
Préhoust,
2e moitié
du XVIIe siècle.

⑥ **Pezé-le-Robert**
Église Saint-Martin

D'époques et d'ateliers
différents, les sculptures ont
été repeintes au XIXe siècle et
certaines ont été « rebaptisées ».
Dans le transept sud,
le *Saint Joseph et l'Enfant
Jésus* est faussement intitulé
Saint Joachim. Non loin,
un autre *Saint* est désigné
comme *Saint Joseph,* ce qui
n'est pas certain. Son visage
remarquable, aux traits modelés
avec vigueur, évoque le *Saint
Joseph* de la *Sainte Famille* de
Vouvray-sur-Loir, exécuté par
le Manceau Préhoust en 1662.

Les autres sculptures sont
plus modestes. Le canon court
du groupe de saint Joseph
et l'Enfant trahit une certaine
maladresse, malgré des drapés
relativement maîtrisés.
Si l'étirement des silhouettes
de l'*Éducation de la Vierge*
atteste une certaine élégance,
celui-ci ne parvient pas
à tempérer une composition
très statique et des visages
aux traits grossiers.
Dans l'autre transept, le *Saint
Sébastien* est de la même main.

À l'archaïsme de l'attitude raide,
s'ajoute le modelé approximatif
des membres, propre à l'œuvre
d'un atelier local.

La *Vierge,* au centre, est mieux
travaillée : les retombées
sages du vêtement signalent
les influences classiques d'une
statue de la seconde moitié
du XVIIe siècle ou du début
du XVIIIe. Dans la niche gauche,
Saint Denis porte dans
ses mains sa tête décapitée.
L'épaisse polychromie
du XIXe siècle en atténue
les qualités, sensibles dans
les traits fins de son visage
et le savant mouvement
de son drapé.

Dans la nef, *Sainte Barbe*
et *Sainte Émerence* sont
d'une même main dans la
seconde moitié du XVIIe siècle.
Maintes fois présente dans
le Maine, *Sainte Barbe,* flanquée
de sa tour, est traitée de
manière très conventionnelle.
C'est moins le cas de *Sainte
Émerence* qui, tenant ses
entrailles, évoque très crûment
son martyre : probablement
invoquait-on la sainte pour
son rôle guérisseur.

7 Beaumont-sur-Sarthe
Église Notre-Dame

Bien qu'elle soit séparée du retable qui lui servait de cadre à l'origine et qu'un badigeon ait fait disparaître toute polychromie, l'**Assomption,** dans la nef, est une œuvre remarquable. L'élan de la Vierge est suggéré par l'étirement de sa silhouette, le drapé tumultueux de son manteau et l'attitude virevoltante des anges autour. Cette composition mouvementée pourrait être l'œuvre de Noël Mérillon vers le milieu du XVIIᵉ siècle.

Vierge à l'Enfant, attribuée à Noël Mérillon, milieu du XVIIᵉ siècle.

Sainte Madeleine, attribuée à Noël Mérillon, milieu du XVIIᵉ siècle.

*Ci-dessus
et page de droite
Assomption,*
détail et ensemble,
attribuée à Noël
Mérillon, milieu
du XVIIᵉ siècle.

Enveloppées de lourds drapés, la ***Vierge à l'Enfant*** et la ***Sainte Madeleine*** du maître-autel, qui proviennent de l'abbaye de Perseigne, sont aussi probablement des œuvres de Mérillon. La *Vierge* était à l'origine destinée à la niche d'un retable, comme l'indique sa position frontale.

En revanche, Madeleine, qui s'avance vivement, son vase de parfum à la main, n'était pas isolée comme elle l'est actuellement : sans doute figurait-elle dans un groupe de la Mise au tombeau.

Dans l'aile droite du retable, le ***Saint Pierre*** est l'œuvre d'un atelier inconnu au XVIIᵉ siècle.

Plus rustique, la ***Vierge de pitié*** de la nef témoigne du succès de quelques modèles prestigieux, tel le groupe de l'église des cordeliers de Laval, attribué à Hoyau, dont on retrouve des variantes à Parigné-l'Évêque et à Notre-Dame du Pré, au Mans. Elle proviendrait de la chapelle du cimetière de Beaumont.

À l'extérieur, dans une niche aménagée dans la façade, un ***Saint André*** proviendrait lui aussi de Perseigne et pourrait dater des premières années du XVIIᵉ siècle.

Saint André,
XVIIᵉ siècle.